# Ormanın İçinden Yürürken

# Walking through the Jungle

Mantra Lingua
Global House
303 Ballards Lane
London N12 8NP
www.mantralingua.com





First published in Great Britain in 1997 by Barefoot Books Ltd
First dual language edition published in 2001 by Mantra Lingua
This edition published in 2020



Printed in Paola, Malta MP190220PB04208812

# Ormanın İçinden Yürürken

# Walking through the Jungle

Illustrated by Debbie Harter

Turkish translation by Kelâmi Dedezade

Ormanın içinden yürürken,
Walking through the jungle,

Ne görüyorsun?
What do you see?

I think I see a lion, chasing after me.
Roar!
Roar!

Sanırım bir aslan görüyorum,
peşime düşmüş.

Okyanusta yüzerken,
Floating on the ocean,

Ne görüyorsun?

What do you see?

I think I see a whale, chasing after me.
Whoosh!
Vuuş!

Sanırım bir balina görüyorum,
peşime düşmüş.

Dağlarda tırmanırken,

Climbing in the mountains,

Ne görüyorsun?

What do you see?

I think I see a wolf, chasing after me.
Howl!
Auuu!

Sanırım bir kurt görüyorum,
peşime düşmüş.

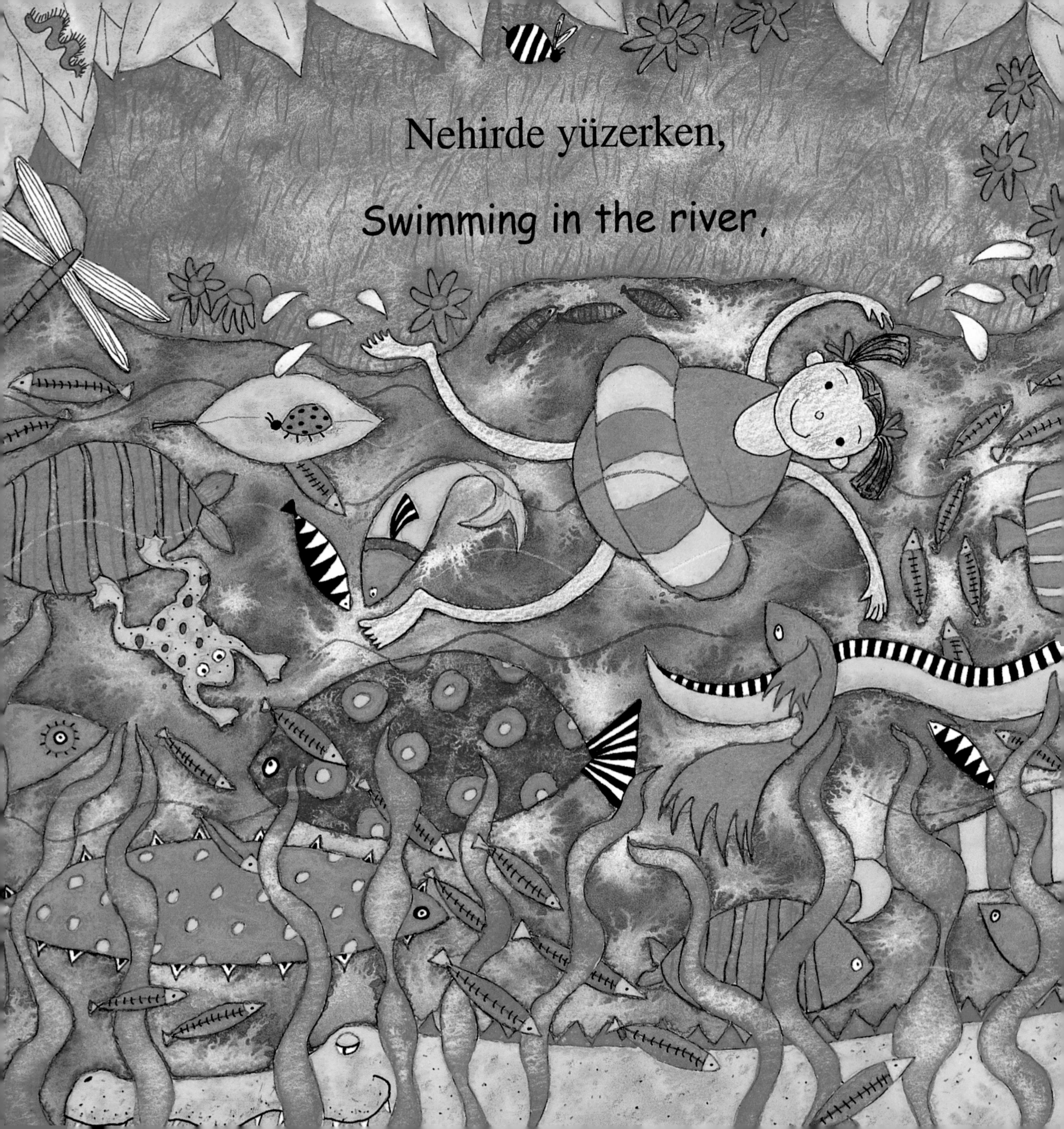
Nehirde yüzerken,
Swimming in the river,

Ne görüyorsun?

What do you see?

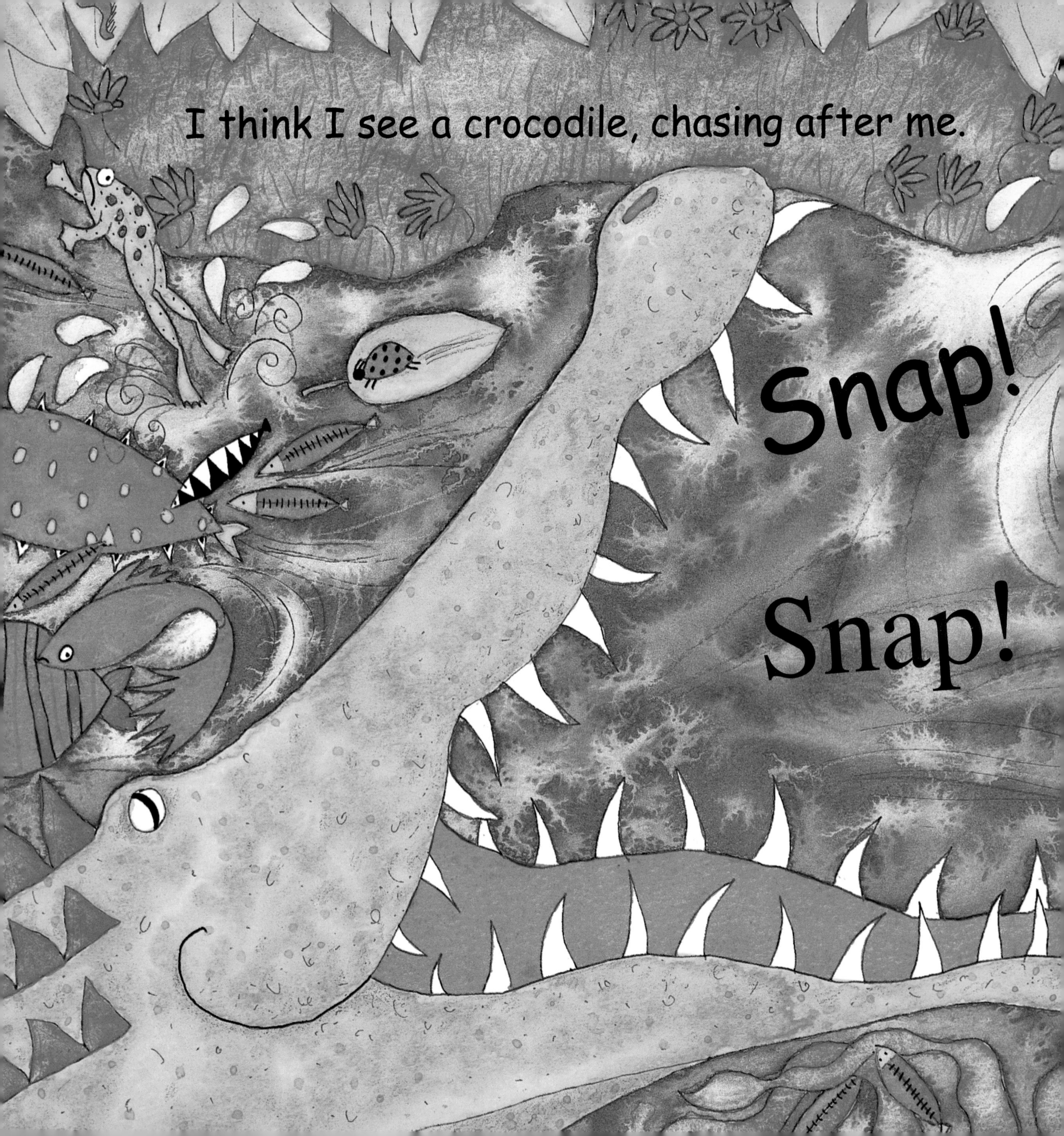
I think I see a crocodile, chasing after me.
Snap!
Snap!

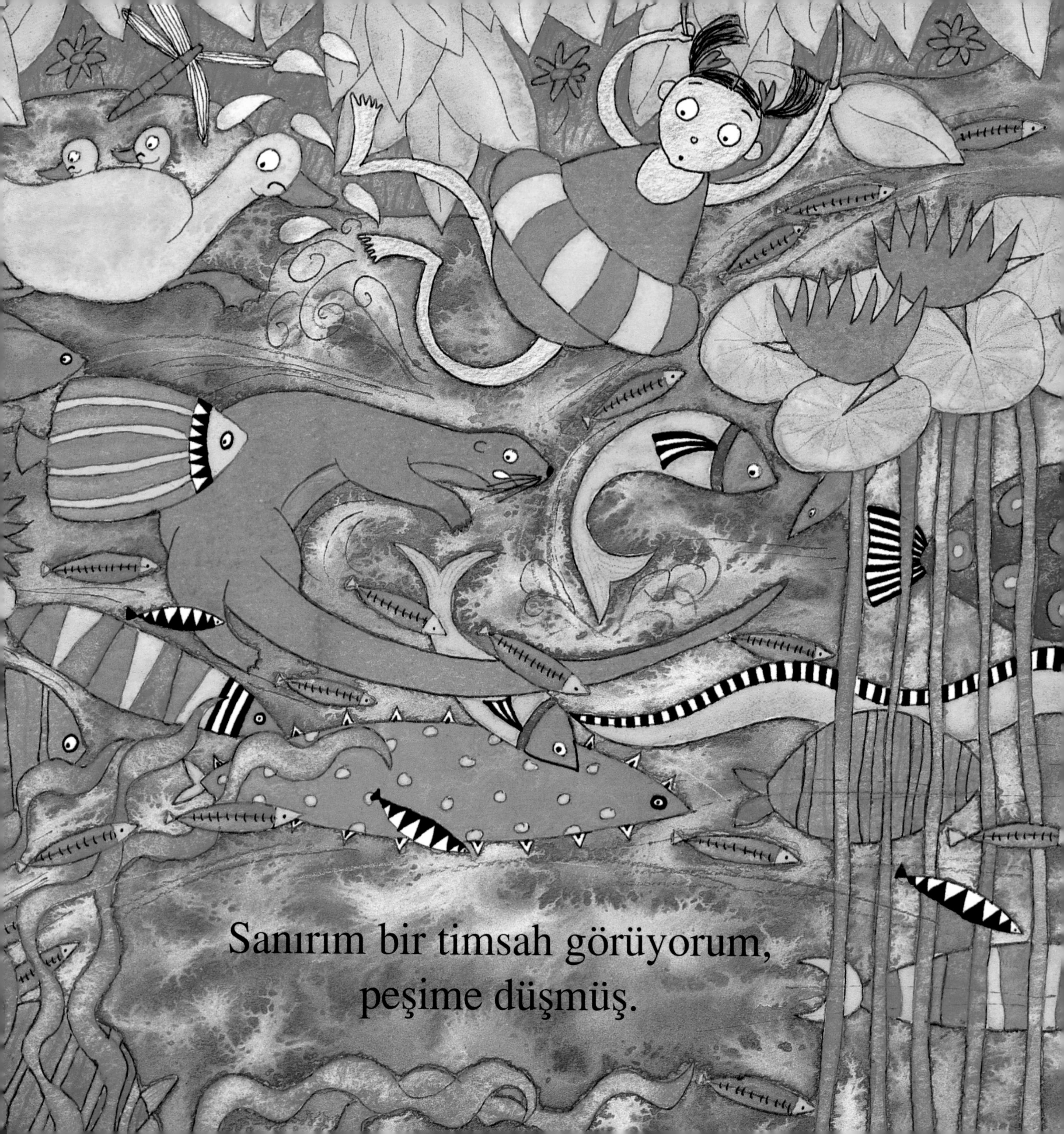

Sanırım bir timsah görüyorum,
peşime düşmüş.

Çölde seyahat ederken,
Trekking in the desert,

Ne görüyorsun?

What do you see?

I think I see a snake, chasing after me.
Hiss!
Hiss!

Sanırım bir yılan görüyorum,
peşime düşmüş.

Buzdağının üzerinde kayarken,

Slipping on the iceberg,

Ne görüyorsun?
What do you see?

I think I see a polar bear, chasing after me.
Growl!
Hırrr!

Sanırım bir kutup ayısı görüyorum,
peşime düşmüş.

Akşam yemeği için eve koşarken,

Running home for supper,

Neredeydin?

**Where have you been?**

Dünyayı dolaşıp geri döndüm.

I've been around the world and back,

Neler gördüğümü bir tahmin et.

And guess what I have seen.